D0626344

L'ESPACE
PREND LA FORME
DE MON REGARD

Hubert Reeves

L'ESPACE
PREND LA FORME
DE MON REGARD

Éditions du Seuil

TEXTE INTÉGRAL

La première édition de cet ouvrage a été publiée par Myriam Solal Éditeur
et par les Éditions L'Essentiel inc. au Québec
avec des photographies de Mohror, en 1995.

Le titre est une libre interprétation du vers de Paul Éluard
« L'Espace a la forme de mes regards »
extrait du poème *Ne plus partager*, 1926.

Toutes les photographies sont de Jacques Véry,
notamment « Utah Beach, 6 juin 1994 » (p. 74)
et « Alberto Giacometti, *L'Objet invisible*
(Mains tenant le vide), 1934 (détail)
Bronze - Fondation Marguerite et Aimé Maeght » (p. 81)
© Adagd, Paris, 1999

ISBN 2-02-053052-X
(ISBN 2-02-037800-0, 2nde publication)
(ISBN 2-910796-02-7, 1re publication)
(ISBN 2-921970-01-5, édition québécoise)

© Jacques Véry, juin 1999, pour les photographies
© Éditions du Seuil, juin 1999, pour le texte d'Hubert Reeves,
la sélection des photos et la composition de la présente édition

www.seuil.com

I

Le temps qui passe

L'eau du lac est calme. Le ciel, légèrement brumeux. Le vert tendre du feuillage se découpe sur le bleu pâle des montagnes. Tour à tour, sur chaque rive, les clochers sonnent midi.

Un bateau passe. On entend les rires. Des gens s'amusent. C'est un moment de leur vie, un instant de l'histoire du monde.

*

Vent frais sur la figure. Bruits de pas dans les feuilles. Douce lumière qui tombe des grands nuages blancs. Tapis de pervenches et d'anémones étalées sous les grands troncs de la forêt. Pures merveilles…

Capturer cet instant harmonieux. S'insérer dans le courant du temps. Percevoir le battement de l'existence qui passe. La vie est une succession d'instants.

*

Le retour des saisons et leurs fêtes. Accueillir les pervenches violettes et le chant du rossignol. Assister aux leçons de vol des nouvelles hirondelles. Constater, un peu tristement, que les martinets nous ont quittés et que les colchiques mauves fleurissent dans les prés humides.

Être à l'écoute de la nature pour retrouver ses racines et s'ancrer dans la réalité.

*

Les rayons du soleil se glissent à l'oblique dans la forêt. Ils dorent les flancs sombres des arbres et laissent sur le sol obscur des traînées de lumière blanche. L'air est frais, par moment presque froid. Je le sens délicieusement entrer dans mes narines.

*

Au fronton de la forêt les blancs bouquets des fleurs d'acacias s'inscrivent dans le vert tendre de leur feuillage, indéfiniment multilobé. Sur les branches, les pétales donnent une profondeur au bleu vif de l'atmosphère. Lentement, ici et là, elles tombent et les ornières du chemin en sont enneigées. Des torrents de parfums suaves s'en dégagent, embaumant le parcours du promeneur solitaire.

*

En montant sur la colline voir le coucher de soleil sur la mer, en respirant les lourds parfums du maquis, en écoutant les cris des oiseaux besogneux, me viennent en mémoire des images de ceux que j'aime et qui m'accompagnent dans ce vaste événement qui s'appelle « ma vie ».

*

Devant ces spectacles de la nature, remontent quelquefois les images de guerres et de catastrophes. Il faut se répéter à quel point les beaux jours sont fragiles. Ce message nous les rend plus précieux encore.

Sur les boutons d'or, un « paon du jour » volette diligemment. Un « sceau de Salomon » fleurit près de la clôture. À la limite du bois, les frênes développent leurs samares. Au loin un coucou chante.

*

Le pouce gauche sur le poignet droit, je sens battre mon cœur. Un long moment je reste à l'écoute de ce rythme fidèle et impérieux qui m'accompagne depuis ma naissance et constitue la trame de mon existence.

À travers la séquence ininterrompue des parents et des grands-parents qui me l'ont légué, ce battement sous mon pouce me relie directement au passé lointain de la vie terrestre et m'insère dans une histoire qui dure depuis des centaines de millions d'années.

Je m'inscris dans ce moment précis de l'histoire du monde. Pendant quelques décennies, je tiens le flambeau de la conscience que m'assure ce battement de cœur. Comme tant d'autres auparavant, il s'éteindra tandis que d'autres s'allumeront. Vertige de cette formidable aventure de la vie sur la Terre.

*

Un étang sec à la fin de l'été. Le Soleil descend vers l'horizon et les ombres des arbres s'allongent sur la terre craquelée couverte de feuilles jaunies. Perché sur une branche morte, un rouge-gorge me regarde. Puis il remonte dans un dense sycomore. J'écoute ses notes aiguës vaguement plaintives.

On souhaiterait que ces moments harmonieux durent indéfiniment. On ne peut pas imaginer qu'ils cessent d'exister. Pourtant, la détérioration physique et la mort récente d'un ami très proche me rappellent leur fragilité et leur précarité.

En plantant des séquoias et des cèdres du Liban, en les soignant et en les regardant grandir, je me suis, en quelque sorte, donné un compte à rebours. Je ne les accompagnerai pas au-dessus d'une certaine taille. Mais je sais par d'autres jardins ce qu'ils seront dans quelques siècles. Et pour moi, ces images concrétisent une période où je ne serai plus.

*

Les pousses vertes des maïs émergent du champ de terre ocre. Deux papillons s'y poursuivent en voletant. Je pense : « Les papillons existent sur la Terre. Nous partageons le même espace. »

Quand j'ai atterri sur notre planète, il y a une soixantaine d'années, elle était déjà dans un sale état. Depuis, des événements se sont passés : guerre mondiale, la bombe d'Hiroshima, l'industrialisation à outrance, Tchernobyl, l'amincissement de la couche d'ozone, l'effet de serre. Nous avons encore détérioré la situation et sérieusement compromis l'avenir. Beaucoup d'espèces animales qui partageaient notre habitat ont été éliminées.

Pour améliorer sa récolte, le paysan déverse des pesticides. Il faut dire la fragilité des papillons devant l'énormité de la puissance humaine. Le maïs pousse bien et les populations de papillons diminuent rapidement. Combien de temps encore profiterons-nous de leur éphémère beauté ?

*

Les nuages se bousculent et laissent passer de longs fragments de lumière crépusculaire. Les oiseaux chantent dans le feuillage obscurci et les arbres s'enfoncent avec moi dans la nuit.

*

L'hiver dernier, un orage brutal s'est abattu sur la campagne. Un grand charme est tombé dans la forêt. Une immense plaque de terre circulaire, soulevée par l'arrachement, s'élève à angle droit avec le sol. De la terre éventrée sortent les moignons de racines dont la couleur grise un peu effrayante m'inspire l'image du « ventre de la Terre ». Regard clandestin dans un monde interdit. L'empire des morts sous le chêne de Jean de la Fontaine. La fosse où Ulysse retrouve sa mère.

Maintenant, des graminées recouvrent progressivement la blessure béante et s'établissent là où vivaient ces géants. Des catastrophes « arrivent ». Puis, elles « sont arrivées ». Et on passe à autre chose.

*

Dans un village du Vietnam, des petites filles dansent et chantent en costumes du pays. Les boucles noires de leur chevelure luisante se balancent en cadence. Le plancher résonne des petits pas rythmés. Les rires fusent et l'enthousiasme est grand.

Tous ces enfants ont perdu leurs parents pendant la guerre. Ils ont été recueillis dans les ruines fumantes des villages incendiés par les Khmers rouges. Les nuits de bombardement les avaient laissés à deux doigts de la mort. Leurs chances de survie étaient infimes.

Quelques années et beaucoup de générosité

ont complètement changé le paysage. Le message de leurs voix enfantines est clair. La vie est costaude et le temps, quelquefois, joue pour elle.

*

En juin une branche morte a servi de juchoir aux oisillons pendant que la poule d'eau leur apportait des fraises du jardin. L'an prochain la branche pourrira au fond de l'étang.

*

Le Soleil est couché depuis assez longtemps et la nuit tombe. L'air est paisible. Près de la plage, on entend des voix étouffées. Dans un jardin public, quelques garçons et filles sont rassemblés autour d'une batterie de canons tournés vers la mer. Juchés sur les longs tubes phalliques, le blanc de leurs vêtements se détache sur le métal sombre. Les chuchotements et les éclats de voix laissent deviner une ambiance de malaise adolescent, d'excitation et de séduction.

Dans ma tête, un *flash-back*. C'est la guerre. Des soldats chargent les canons. Des obus éclatent dans la nuit. Les éclairs de lumière se multiplient et le vacarme est assourdissant. Au large, des bateaux flambent. Les marins se jettent dans l'eau glacée. Les canons sont si chauds qu'il faut attendre avant de les recharger.

Ce soir, les canons muets ont gardé la tiédeur de cette longue journée ensoleillée. La nuit est tout à fait tombée. On n'entend plus que la mer qui ronronne au-delà des dunes. Et de temps à autre, les rires émoustillés des adolescents perchés sur les tubes métalliques. Le temps a passé. Les canons ont changé de rôle. Ils accueillent maintenant les tendres émois des jeunes gens.

*

Il résonne ainsi depuis des millions d'années ce déferlement assourdissant des vagues sur le rocher par temps d'orage, dont je suis aujourd'hui le témoin. Et il résonnera longtemps encore quand je ne serai plus là pour l'entendre.

Mystère de l'émergence de la conscience en une personne éphémère. Perpétuation de cette prouesse au travers des générations. Mais pour combien de temps ?

*

Être plongé dans l'étonnement devant le simple fait de notre existence. Évidence si trompeusement simple qui touche aux mystères de l'avant-naissance et de l'après-mort.

Il nous est naturel de penser que notre vie s'inscrit dans un intervalle de temps, se chiffre en années du calendrier, s'insère dans un siècle, ou en chevauche deux.

Mais le calendrier est conventionnel. Et nous croyons savoir ce qu'est le temps. Existe-t-il en dehors des cerveaux humains ? S'écoule-t-il quand nous ne sommes plus ?

Au-delà de quelques répétitions de la séquence si familière des quatre saisons, s'étend le domaine parfaitement inconnu, parfaitement inconnaissable, où tant de nos amis déjà ont pénétré.

II

Au cimetière

J'aime visiter le jardin où reposent les morts. Gardien de la permanence face à la vie qui passe, face au temps qui s'inscrit dans nos cellules et les amène à vieillir, établissant ainsi la durée de notre existence sur la Terre.

*

Le cimetière est un lieu dense qui invite à la réflexion. Ceux dont les noms apparaissent sur les pierres vivaient quand nous n'étions pas encore. Les vivants d'aujourd'hui seront demain en ce lieu. Un siècle suffit à changer les visages.

Dans l'ancienne partie du cimetière, là où on

n'enterre plus, les pierres sont nues. Certaines s'inclinent lourdement vers le sol. D'autres sont depuis longtemps effondrées. Sous les couches successives de lichen jaunâtre, les inscriptions sont presque effacées. On y déchiffre parfois des dates qui ne sont pas si anciennes. Arpenter ces allées suffit à illustrer les étapes de notre véritable disparition.

*

Les gens meurent, mais la vie a une façon de continuer comme si de rien n'était. Il faut voir la mort non pas comme un *arrêt*, mais comme un *relais*, à l'image du coureur grec qui transmettait la flamme du feu olympique avant de s'écrouler. Notre vie est courte mais notre espèce est de longue durée. Nous portons la responsabilité des maillons dans une chaîne.

*

En disant à ma mère mourante : « Ça va aller mieux… tu verras », je me sentais mentir. Il aurait fallu dire le contraire : « Tu vas mourir ; parlons-en ! »

Notre rapport à la mort est fondamentalement double. La repousser le plus longtemps possible mais l'accepter comme une partie normale de la vie. Il faut que les forces de vie cherchent à gagner, mais il faut aussi qu'elles soient vaincues. Se battre avec acharnement pour demeurer dans l'existence, et accueillir la mort comme un passage naturel vers on ne sait quoi. Peut-être le néant. Peut-être pas. La curiosité d'être enfin sur le point de savoir peut-elle soutenir nos derniers instants ?

III

De la nature

Nuit tiède du mois d'août. L'obscurité est profonde. Entre les masses sombres des grandes frondaisons, la Voie Lactée déroule ses sinuosités blanches. Le silence est dense.

Entre les étoiles et les humains se tisse une relation secrète, comme dans un monde à part. Une réalité sereine à la frange de l'imaginaire. Un monde lointain, inatteignable mais sur lequel on peut compter. Derrière le bleu du ciel diurne, derrière les nuages opaques, il est toujours là. Les retrouvailles du soir sont sûres. Elles desserrent, l'espace d'un moment, l'étau des angoisses.

C'est qu'au-delà de leur dimension imaginaire, les étoiles existent vraiment. Et le rêve n'est plus la seule prise que nous ayons sur leur mystère. Grâce aux télescopes, les étoiles deviennent aussi objets de connaissance. On découvre et on comprend leur place dans l'économie de l'univers ; leur rôle primordial dans l'histoire de notre propre existence.

*

Avec la Renaissance et le développement des télescopes, le ciel atteint brusquement des proportions gigantesques. La Terre n'est plus le socle immobile autour duquel tournent les étoiles. Comme la Lune et les planètes, elle est un corps céleste. Et tous ces astres tournent autour du Soleil, qui devient pour un moment le nouveau centre du monde.

Pas pour longtemps. Bientôt on comprend que le Soleil est une étoile, pareille à celles qui foisonnent dans le ciel, par les belles nuits sans Lune. En fait, une étoile tout à fait banale, perdue quelque part dans la banlieue de notre Voie Lactée. Et si les autres étoiles ne brillent pas autant que notre Soleil, c'est, tout simplement, qu'elles sont beaucoup, beaucoup plus loin. (Anaxagore, déjà, en avait eu l'intuition.) La lumière nous arrive du Soleil en huit minutes, mais celle des étoiles de la nuit met de nombreuses années.

Au XVIIIe et au XIXe siècles, on identifiait l'univers à ce que nous appelons aujourd'hui notre galaxie : la Voie Lactée.

Puis, au début de notre siècle, une nouvelle révélation : notre galaxie n'est pas unique !

On en découvre sans cesse de nouvelles, plus ou moins semblables à la nôtre. Des centaines de milliards de galaxies ont déjà été détectées, dispersées sur des milliards d'années-lumière. Leur nombre est peut-être infini.

*

De ma fenêtre, je vois la mer sombre émergeant lentement de la nuit. Mon regard parcourt le vaste domaine des vagues moirées. Le Soleil matinal illumine la barre blanche tout au long de la côte, puis le cap rocheux à l'horizon ainsi que la frange rose des nuages encore plongés dans la nuit.

La Terre bascule sur elle-même et cette région de notre globe entre une fois de plus dans la lumière. L'immense océan, adverse et hostile dans l'obscurité nocturne, retrouve son visage paisible. Je pense à d'autres planètes en orbite autour d'étoiles étrangères, qui en ce moment passent de la nuit au jour et rassurent les regards de leurs habitants.

Des habitations nombreuses s'étalent au long de la côte. Il y a quelques millions d'années, ce même mouvement de la Terre amenait ici la lumière sur une campagne sauvage. Plus tard, l'être humain s'est propagé et les maisons sont apparues. Et j'observe aujourd'hui ce qu'il a fait de cette terre, ici, dans ce coin de Sicile.

*

Le Soleil est une immense sphère de gaz incandescents. Son rayon est deux fois plus grand que la distance de la Terre à la Lune. Sa température centrale est de seize millions de degrés. Depuis quatre milliards cinq cents millions d'années, il est le siège de réactions nucléaires qui transforment de l'hydrogène en hélium.

Cet astre bardé de chiffres démesurés, à la limite de l'abstraction, est le même qui nous émeut quand, selon Baudelaire, il « s'est noyé dans son sang qui se fige ». Sur la boule rouge, l'intellect et la sensibilité se rejoignent. Les connaissances scientifiques enrichissent la perception du monde réel.

*

Message de l'astronomie contemporaine. Comme les anciens, nous avons conscience d'être reliés au ciel. Mais dans un cadre d'une ampleur que jamais personne n'a imaginé auparavant. Notre vie s'inscrit dans une dimension gigantesque. Planètes, étoiles et galaxies en sont parties prenantes. Notre existence a des résonances cosmiques.

*

La forêt raconte la vie des arbres en images simultanées. Les jeunes pousses voisinent avec les spécimens adultes et les troncs vieillissants. Le sol est jonché de bois pourris. De leur substance se forme le terreau où germent les nouvelles graines.

La forêt nous enseigne à regarder la vie sous son angle dynamique. À en avoir une perception d'ensemble intégrée dans la durée du monde.

*

Matin de mai. Une grenouille se chauffe au soleil sur une feuille de nénuphar. Partout des stellaires et des arums. Les fleurs de pommiers, largement ouvertes, sentent bon et des insectes variés, guêpes, abeilles, bourdons, s'y affairent. Un papillon enfonce dans les corolles une trompe allongée qu'il manipule avec une maîtrise accomplie.

Sa dextérité et son assurance me frappent. Il sait très exactement ce qu'il a à faire. Il connaît parfaitement bien son métier. Je pense : la tâche du papillon est bien connue du papillon. Sa vie est clairement dessinée devant lui. Il ne connaît pas l'angoisse de l'homme qui doit forger lui-même le mode de son existence.

*

L'être humain, comme l'animal, doit assouvir les besoins impérieux que sa nature lui impose. Ces exigences façonnent le regard qu'il porte sur le monde. Pour le lion de la savane, la gracieuse gazelle est d'abord un moyen d'apaiser la faim qui le tenaille. Pour le bûcheron occidental, la forêt est avant tout une exploitation forestière.

Le désir et la volonté de rejoindre les êtres au milieu de leur existence, de rencontrer nos compagnons de voyage dans ce difficile parcours de notre passage terrestre s'inscrivent au-delà du regard utilitaire. En entrant dans ce sous-bois tranquille et touffu, en marchant dans l'intense présence des grands arbres, je pense qu'ils sont là quand je n'y suis pas ; qu'il y en aura encore quand je n'y serai plus.

Quel regard sur le monde accompagne les pas tranquilles du lion repu parmi les herbes de la savane ?

*

Dire des choses c'est aussi montrer que ces choses peuvent être dites.

*

Les atomes durent. Ils sont invulnérables. À l'inverse, les organismes vivants sont perpétuellement menacés. Pour survivre nous devons combattre. Mais à plus long terme nous sommes condamnés. Notre espoir de survivre réside tout entier dans notre descendance. Pour que se perpétue la lignée, pour que les rejetons atteignent l'âge nubile, nous devons les protéger, les entourer de soins, leur enseigner le dur métier de vivre.

*

Se confronter avec cette mystérieuse entité que nous appelons « la nature ». Parce que nous en faisons partie et que notre sort y est intimement attaché. Elle est l'éminence grise de notre existence. Nous la touchons de partout, ou plutôt elle nous touche de partout mais nous la connaissons si mal.

On l'aborde par l'intellect et par les sens. Par la communication externe et par la communion interne. Ce que la science nous en dit et ce que l'art nous en fait sentir.

*

La difficulté à percevoir la nature telle qu'elle est vient du fait que nous en émergeons. Nous en faisons partie ainsi que toutes les impressions et les réactions qu'elle provoque en nous.

Par nous, la nature se renvoie une image d'elle-même.

*

Nous sommes inscrits dans une histoire qui se poursuit depuis des milliards d'années. Ce fait, qui nous paraît maintenant si familier, était inconnu des êtres humains il y a quelques siècles à peine.

Une excavatrice creuse un trou pour un citadin qui veut une piscine à la campagne. Dans les monceaux de terre déblayés, des silex taillés apparaissent. Le fait nous frappe soudain que notre planète est habitée par des êtres humains depuis des centaines de milliers d'années. Par des gens qui ne soupçonnaient guère l'existence de la longue épopée dans laquelle leur vie s'insérait.

Tout comme nous déchiffrons progressivement l'histoire des innombrables générations successives, nous découvrons la séquence des multiples transformations géologiques de la planète. Et nous apprenons la suite des événements stellaires, qui forment la trame de l'existence de notre galaxie ainsi que les péripéties de l'évolution de notre cosmos depuis quinze milliards d'années. Les connaissances scientifiques accrochent notre présent à des espaces et des durées gigantesques. Elles nous relient à l'ensemble de l'univers.

*

Une question souvent posée : « L'univers était-il programmé pour engendrer la conscience ? » Mieux vaudrait se questionner sur l'inéluctabilité de l'apparition de la conscience dans notre

univers, doté des propriétés initiales que nous lui découvrons aujourd'hui.

*

Le beau est-il dans la nature ?

La beauté naît de la rencontre entre le monde et l'être humain qui le perçoit.

« J'ai vu une herbe folle

Quand j'ai su son nom

Je l'ai trouvée plus belle. »

Elle est devenue belle d'être vue et plus belle encore d'être nommée.

« Depuis que Monet a peint les nénuphars d'Île-de-France, ils sont devenus plus beaux, plus grands. » (Gaston Bachelard.)

La beauté naît du regard de l'homme. Mais le regard de l'homme naît de la nature.

*

Beau ou laid, derrière chaque visage il y a quelqu'un.

*

La personne que je vois ne sait pas ce que je vois d'elle.

Et elle qui me voit, moi, je ne sais pas ce qu'elle voit de moi.

En compagnie de mes amis, la figure qui m'est la moins familière c'est la mienne.

*

Demandez à quelqu'un de décrire, tout en restant immobile, dans quel ordre successif il déplace bras et jambes pour marcher à quatre pattes. Dans la majorité des cas, la réponse est erronée. Pourtant, tout être humain le fait sans erreur. Les muscles « savent » mais la pensée tâtonne.

En nous coexistent deux niveaux de connaissance : celui de la science innée, sophistiquée de notre corps qui possède à fond la chimie de la digestion – et celui de la connaissance acquise, tâtonnante mais progressive, de notre pensée – qui a mis des siècles à découvrir la circulation du sang. Cette dernière prend la relève quand la première est défaillante. On prend des comprimés pour soulager un mal de tête.

La physique, la chimie et la biologie tentent de « redécouvrir » pas à pas ce que « savent » à leur façon nos atomes, nos molécules et nos cellules. Que savent-ils d'autre encore que nous ne savons même pas qu'ils savent ?

*

Les mathématiques sont le langage de la nature. Les atomes et les molécules sont notre substance même. Découvrir comment ils s'associent, c'est étudier notre passé et aussi notre présent. C'est comprendre, un peu mieux, ce vaste mouvement d'organisation qui nous a donné naissance.

*

Un animal qui rit, disait-on autrefois, pour définir l'homme. Il faudrait plutôt dire : un animal qui cherche à se relier. Du latin « religere » d'où vient le mot religion. Les anthropologues nous l'enseignent : il n'est pas un groupe humain aussi isolé soit-il, pas une tribu aussi primitive soit-elle, qui n'ait établi et codifié ses rapports avec une réalité divine non tangible, se donnant ainsi le moyen de se relier au monde, malgré et à travers tous ses mystères.

*

Géographiquement, la quasi-totalité de la matière cosmique possède un niveau d'organisation rudimentaire, sinon inexistant. Mais, dans cet océan chaotique, en certains lieux privilégiés, en certains îlots favorisés par des conditions physiques appropriées, la matière a pu « céder » à ses tendances organisatrices et accoucher des merveilles dont elle possède le secret.

*

Ce n'est que depuis le XXe siècle que, grâce à l'accumulation des connaissances et par un vaste retour sur elles-mêmes, les sciences sont en mesure d'accomplir leurs jonctions. En juxtaposant les acquis des différentes disciplines, on peut dresser une vaste fresque de la connaissance. Et les scientifiques redécouvrent ce que, dans leur zèle, ils avaient un peu oublié : leur objet commun est l'univers habité par l'homme, auteur de la science.

*

« Exister. » Mot en apparence simple. En réalité, si profondément mystérieux. Le mont Blanc « existe » quand je le vois devant moi au-dessus de la vallée de Chamonix. Si je m'approche, je ne vois plus que des falaises rocheuses. Au microscope, son « existence » disparaît dans le tissu des formations minéralogiques.

Dans le ciel, passe une volée de canards, le cou raide tendu vers l'avant.

Je compte. Il y en a cinq. Le chiffre cinq se met à exister devant moi.

Les nombres ont-ils un mode d'existence en dehors de la tête de celui qui les pense ?

*

Pour tirer le meilleur parti des connaissances acquises, pour en extraire toute la richesse, il importe de ne pas s'y habituer trop vite, de se laisser le temps de la surprise et de l'étonnement.

Aujourd'hui, nous avons pris conscience de l'extraordinaire degré de sophistication des phénomènes de la vie végétale et animale. De l'astuce et de l'intelligence qui s'y révèlent à chaque tournant.

Au risque de perdre tout espoir de comprendre quelque chose à la nature, il faut prendre ses distances face aux explications trop englobantes. Leur hégémonie peut masquer une réalité beaucoup plus riche. Accepter de rester dans le doute et l'interrogation pour se donner accès à des niveaux plus profonds.

De la théorie néo-darwinienne – mutations aléatoires et sélection naturelle – comme explication de l'évolution biologique, on peut dire : « il y a de "ça", il n'y a pas que "ça" ». Ce qui « manque » constitue une des lacunes les plus importantes de la science contemporaine. Il importe de ne pas compenser ce manque par des explications magiques ou miraculeuses. La réalité est sans doute infiniment plus intéressante.

*

Il y a soixante-cinq millions d'années, un astéroïde géant a frappé la Terre. Un tiers des espèces vivantes a été exterminé dont l'ensemble des grands sauriens. Les mammifères ont survécu à la catastrophe et sont entrés dans une phase de développement rapide. Chiens, chats, éléphants, singes, etc. apparaissent sur la Terre, et les humains dans la foulée. Plusieurs paléontologues y voient une relation de cause à effet. Selon eux, la disparition des prédateurs efficaces a laissé le champ libre à l'évolution rapide et multiforme.

L'histoire du cosmos est celle de la matière qui s'organise. Du chaos initial d'il y a quinze milliards d'années est née la merveilleuse complexité du monde contemporain : la vie et la conscience. Pour y arriver, la nature, comme le bricoleur, fait feu de tout bois. Elle utilise aussi bien le déterminisme des lois de la physique

que la contingence des collisions planétaires. La météorite a simplement fait « sauter un verrou ».

*

Partout dans les prés mouillés pousse la cardamine des champs. Très haut dans le ciel plane majestueusement une buse variable.

*

La Terre tourne sur elle-même et, de ce fait, crée le jour et la nuit. Les effets de cette énorme et inexorable mécanique se font sentir dans d'innombrables événements à de multiples échelles. Le Soleil disparaît à l'horizon et les lueurs crépusculaires s'éteignent lentement. Les hirondelles se perchent et les chauves-souris s'activent. Les belles-de-jour se ferment et les belles-de-nuit déploient leurs corolles pastel.

Des phénomènes à un niveau donné – ici la rotation des corps célestes – deviennent des cadres où s'inscrivent de multiples phénomènes à d'autres niveaux. Le mouvement de la Lune

dénude et recouvre périodiquement les bords de mer. Et une multitude de plantes et d'animaux vivent au rythme des marées, dans cette zone dont on dit joliment qu'elle est « réclamée » par la mer. Ainsi se construit la réalité.

Un vieux paysan termine sa récolte et rentre chez lui, la fourche sur l'épaule, dans la brume d'automne. Des nappes d'air froid descendent des régions septentrionales. Elles condensent la vapeur d'eau et couvrent la campagne d'un épais brouillard gris. Quand l'hiver se termine, la nécessité de juxtaposer physiquement les graines mâles et femelles provoque l'infinie multiplicité des parades nuptiales, des passions amoureuses et des peines de cœur.

La collision de la jeune Terre avec une autre planète est vraisemblablement responsable de l'inclinaison de son axe orbital autour du Soleil. Cet événement cataclysmique d'il y a quatre milliards d'années ne fut observé par personne. Mais ses effets sont encore présents. Nous lui devons le cycle des saisons. Art de la nature de broder indéfiniment sur des réalités élémentaires.

*

Longtemps l'être humain s'est considéré comme le seul être intelligent de la nature. Les animaux, êtres stupides aux comportements brutaux, étaient mûs par des instincts grossiers. Il était naturel dans ce contexte que, pour la tradition judéo-chrétienne, l'âme immortelle soit réservée aux humains.

Ces dernières décennies, par un de ces revirements subtils et profonds dont on ne prend conscience qu'après coup, notre regard a radicalement changé. L'étude scientifique des prouesses animales nous a révélé leur capacité à utiliser les forces de la nature avec un degré de sophistication extraordinaire. Nous avons découvert jusqu'à quel point notre niveau technologique est loin en arrière du leur.

La boussole a été inventée par les Chinois il y a environ mille ans. Les pigeons voyageurs, les tortues, les bactéries elles-mêmes l'utilisent depuis des centaines de millions d'années. Le principe du radar est né pendant la dernière guerre mondiale. Il a été mis au point pour détec-

ter la présence d'avions ennemis dans le ciel. Les chauves-souris ont développé un « sonar » tout à fait analogue au radar, il y a plusieurs millions d'années. Les insectes qu'elles visent savent brouiller les ondes émises par leurs prédatrices, une technique découverte et utilisée pendant la guerre du Golfe en 1992.

La nature est éclatante d'intelligence. Chaque fois que nous inventons une technique nouvelle, nous découvrons qu'elle la maîtrise depuis longtemps et bien mieux que nous. On appelle « bionique » une démarche qui consiste à élucider les secrets techniques de la nature pour les mettre à profit. Sur chaque sentier elle est loin devant nous. Combien de secrets possède-t-elle encore dont nous n'avons pas la moindre idée mais que les chercheurs du futur tenteront d'élucider ?

*

La nature semble primer l'efficacité sur les sentiments et la compassion. Quand Napoléon parcourt l'Europe en « foudre de guerre », il se situe bien dans la lignée triomphante des hirondelles en chasse. La « belle indifférence » de la nature.

*

Les éthologistes racontent l'histoire de l'oiseau-indicateur qui s'allie avec un rongeur, le ratel, pour piller les nids de guêpes. Le coucou dépose ses œufs dans le nid d'autres oiseaux, éjecte les petits et laisse aux parents bernés le soin d'élever les siens.

Dame-nature, efficace et sans pitié, possède un gros cerveau mais un cœur bien minuscule.

*

L'accumulation des armes nucléaires rend possible aujourd'hui l'élimination de notre espèce. L'humanité peut s'autodétruire. La prise de conscience de cet avènement terrorisant a eu sur la conscience humaine un effet salutaire. Le technicien le plus téméraire est acculé à réfléchir. L'éthique est entrée de force dans le domaine de la science.

IV

La quête de sens

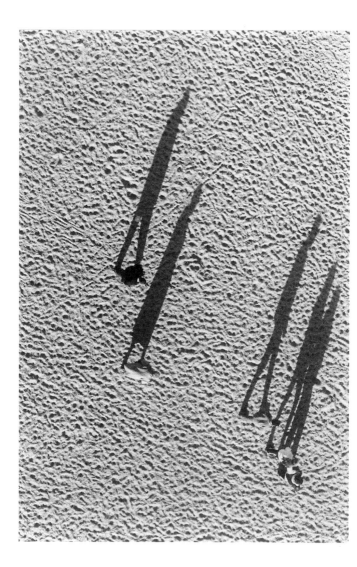

Nous adoptons spontanément l'idée que la réalité est cohérente. Et nous cherchons des preuves de cette cohérence. Les succès de la science en témoignent. Mais jusqu'à un certain point seulement. Rien ne nous prouve qu'elle est *ultimement* cohérente. Ni selon nos critères habituels. Ni peut-être selon aucun critère quel qu'il soit. Le métier de chercheur consiste à étendre le plus loin possible le domaine de la cohérence. Et de croire qu'il peut le faire indéfiniment. Mais sans perdre de vue qu'il s'agit d'un acte de foi.

*

L'existence de la logique n'est pas une obligation logique et n'a rien de logique en soi.

*

C'est quand on pense détenir la recette de la réalité qu'elle nous échappe.

*

La question n'est pas tant de savoir si Dieu existe ou non. Mais plutôt : *qui* est-Il, et à *quoi* joue-t-Il ? À quel « grand jeu » correspond l'évolution du cosmos, l'apparition de la vie et notre propre existence.

En parcourant les chapitres d'un roman policier, le lecteur s'exerce à en deviner la solution. L'auteur astucieux est celui qui, déjouant constamment les intuitions du lecteur, arrive à lui dépeindre une situation apparemment sans issue. Je pense par exemple aux *Dix petits nègres* d'Agatha Christie.

Pourtant, même dans la confusion la plus profonde, même au moment où toute solu-

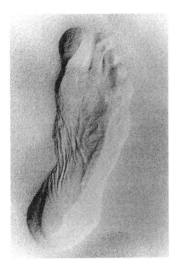

tion semble logiquement impossible, le lecteur sait qu'au dernier chapitre tout va s'éclaircir. La frustration devient tolérable à l'idée qu'il pourrait sauter immédiatement aux dernières pages.

J'ai parfois imaginé qu'au dernier chapitre d'un roman policier savamment conduit, l'auteur déclarerait forfait et reconnaîtrait qu'il n'y a pas de solutions aux énigmes accumulées tout au long du livre. Que le lecteur se résigne, il n y a rien à comprendre…

L'analogie, bien sûr, est celle de notre existence. Les êtres humains, à toutes les générations, ont profondément ancré en eux cette conviction que quelque part la réalité a un sens. Avec les connaissances disponibles à chaque époque, ils ont cherché à formuler l'expression de ce sens. Ces formulations ont pris la forme de systèmes philosophiques ou religieux.

Et si au dernier chapitre, comme dans notre roman fictif, nous découvrions que la solution n'existe pas ?

Il nous faut d'abord reconnaître que cette hypothèse doit être prise en considération. Rien ne nous permet de l'exclure. Ensuite nous confronter à cette idée. Pour les uns, elle est viscéralement inacceptable. Pour d'autres au contraire, elle exerce un attrait considérable, à la limite de la séduction. Cette confrontation effectuée, ces réactions reconnues et acceptées, nous pouvons y revenir d'une façon plus sereine. Après tout la réalité a peut-être un sens…

*

J'ai parmi mes amis un peintre hautement imaginatif et créatif, qui vibre au rythme des grands mythes de l'humanité. Les images de l'alchimie l'habitent et l'inspirent en permanence. Son art et sa vie se confondent.

Quand, un jour, il m'a demandé mon opinion sur l'astrologie, j'ai hésité à lui répondre. Était-il approprié de m'exprimer franchement ? Mes réticences ne pourraient-elles pas avoir sur lui une influence stérilisante ? Est-ce que je ne risquais pas, selon l'expression populaire de lui « casser sa baraque » ? J'ai fini par éluder la question.

Il importe de prendre conscience de la diversité des mentalités et des esprits. Chacun cherche pour lui et avec ses moyens ce qui donne un sens à sa réalité. On pourrait dire, à la façon de Nietszche : ce qui importe ce n'est pas tellement ce qui est vrai mais ce qui aide à vivre et surtout à créer. Les grandes images mythiques sont des sources profondes de créativité. J'ai toujours refusé de « pourfendre » les astrologues comme on pourfendait les « infidèles ».

*

Sur le plan scientifique, nous avons beaucoup plus de réponses que les générations antérieures. Mais pour ce qui est des questions fondamentales, nous nageons dans les mêmes eaux obscures.

Il importe que l'exploration humaine puisse se poursuivre dans la continuité, que rien ne soit perdu, enterré dans des bibliothèques-cimetières. Lucrèce, Montaigne, Pascal, Rousseau, Voltaire, Nietzsche, Goethe ont réfléchi sur la nature et sur l'existence humaine. Et aussi, bien sûr, d'autres sociétés qui risquent de disparaître, emportant avec elles leurs réflexions. De la confrontation des intuitions des penseurs antiques et des connaissances actuelles peuvent naître des éclairages différents, engendrant des intuitions nouvelles.

*

Toute philosophie est indissociable du monde émotif duquel elle émerge. Son intérêt vient du fait qu'elle témoigne d'une expérience humaine, d'une rencontre d'un monde intérieur avec le monde extérieur.

*

Notre effort pour penser la réalité doit, sous peine d'échec, intégrer tous les acquis de la science moderne.

*

Le hasard, seul, ne produit que du fouillis. L'horloger ne construit que de monotones horloges. Invoquer le hasard ou l'horloger sont des

solutions de facilités, rassurantes et déresponsa-
bilisantes.

*

Devenir adulte, c'est reconnaître, sans trop
souffrir, que le « Père Noël » n'existe pas. C'est
apprendre à vivre dans le doute et l'incertitude.

*

Il y a deux mille ans, Épicure découvrait que
la peur de la mort engendre dépendance et sou-
mission. Pour s'en libérer, il suffit, selon lui, de
se convaincre qu'il n'y a rien « après ». Mais l'intellect ne guérit pas l'angoisse. On ne se débar-
rasse pas de sa pulsion religieuse comme on
cesse de croire au Père Noël.

Le problème contemporain est de recréer
cette sacralité, dont l'être humain a besoin, mais
sans la vulnérabilité à l'exploitation qu'elle a pu
induire chez nous.

*

La science nous enseigne que tout ce qui existe – pierre, étoile, grenouille ou être humain – est fait de la même matière, des mêmes particules élémentaires. Seul diffère l'état d'organisation des particules, les unes par rapport aux autres. Seul diffère le nombre d'échelons gravis dans la pyramide de la complexité.

*

Les connaissances scientifiques nous donnent une nouvelle image de l'être humain. Détrôné de ses prétentions à être le « centre du monde », il trouve une nouvelle dignité. Il se situe très haut dans l'échelle des êtres organisés de la nature. Là où l'a conduit cette longue gestation dans laquelle sont impliqués tous les phénomènes cosmiques.

Cette dignité, il la partage avec tous ses frères humains, quelle que soit leur origine. Le respect des Droits de l'homme, c'est aussi la prise de conscience de l'importance de chaque individu dans l'histoire de l'univers.

*

À l'échelle de la masse et du volume, l'homme n'est rien : une poussière infime dans un espace sans borne. Mais, selon le critère beaucoup plus significatif de l'organisation, il se situe très haut. À notre connaissance, il occupe l'échelon le plus élevé, celui d'où on peut voir l'univers et se poser des questions sur son origine et sur son avenir. Personne, avant nous – du moins sur notre planète –, n'a pu accéder à ces interrogations.

Avec les nébuleuses et les atomes, avec tout ce qui existe, nous sommes engagés dans cette vaste expérience d'organisation de la matière. Loin d'être étrangers à l'univers, nous nous insérons dans une aventure qui se poursuit sur des distances de milliards d'années-lumière. Nous sommes les enfants d'un cosmos qui nous a donné naissance après une grossesse de quinze milliards d'années. Comme dans la tradition hindouiste, les pierres et les étoiles sont nos sœurs. Et nous découvrons notre dépendance par rapport à tous les vivants, végétaux et animaux, qui ont participé à l'élaboration de notre fertile biosphère.

*

« Je pense que rien d'humain ne m'est étranger », écrivait Térence, il y a deux mille ans. On ajouterait : rien de physique, de chimique, de biologique ne m'est étranger.

Si la science ne peut pas répondre aux questions telles que « Dieu existe-t-Il ? La vie a-t-elle un sens ? Y a-t-il une vie après la mort ? », les connaissances scientifiques nous permettent, néanmoins, de nous situer dans le cosmos par rapport aux étoiles, aux plantes, aux animaux. Elles retracent notre passé antérieur, retrouvent nos racines cosmiques et décrivent l'aventure de la matière qui s'organise et dans laquelle notre existence s'insère.

*

Se méfier de la « trop-pensée » qui crée ses propres problèmes dont elle n'arrive plus ensuite

à se dépêtrer. La querelle stérile des matéria-listes et des spiritualistes autour de deux notions parfaitement indéfinissables : « matière » et « esprit », par exemple.

Ou encore la théologie voltairienne. « Je ne peux pas imaginer qu'il y ait une horloge s'il n'y a pas d'horloger. » Un tel argument trouve sa jus-tification dans notre expérience quotidienne. À l'échelle de notre réalité, cet argument est incontournable. Voltaire introduit l'hypothèse tacite qu'il est extrapolable à l'échelle de l'univers tout entier. Peut-on, comme Voltaire, conclure à l'existence d'un être extérieur à l'univers ?

Modestie de la pensée. J'aime le terme de « pensée minimale ». On reste « au plus près » des observations pour éviter que l'interprétation ne crée elle-même ses propres complications.

L'observation cosmologique la plus significa-tive me paraît être la croissance de la complexité tout au long de l'évolution du cosmos. Ma réac-tion devant ce phénomène serait plutôt de type « animiste » dans le sens le plus vague du terme. J'admettrais volontiers l'idée que cette poussée de l'organisation est mystérieusement incluse

dans la nature. Que « quelque part » elle correspond à un projet.

De qui, de quoi, pour qui, pourquoi ?

Je n'en sais rien.

Je m'arrêterai là, conscient du fait que peut-
être déjà, en énonçant ces mots, je suis allé trop
loin…

*

Silence « déraisonnable » de Dieu sur le
sens de la vie et de la mort. « Ouvrez vos
oreilles », répondent les croyants. Mais selon les
cultures, les réponses diffèrent. Réincarnations
multiples ou résurrection glorieuse ? Sauf à
supposer que la différence, peut-être, n'a pas
d'importance.

*

J'ai vécu, enfant, le déroulement de la
Seconde Guerre mondiale. Les camps d'extermi-
nation m'ont appris l'existence de l'horreur dans
le monde. Puis il y a eu le débarquement de

Normandie. La justice enfin triomphait et les méchants furent punis.

C'est le premier niveau où l'enfant prend contact avec l'horreur. Au cinéma ou à la télévision, l'histoire se termine bien. Au second niveau, il découvre que dans la réalité, elle peut aussi se terminer très mal. Hutus et Tutsis risquent d'attendre longtemps leurs « débarquements ».

*

La mer roule ses longues vagues blanches vers les rochers acérés. Le vert des oliviers se détache en avant-scène sur le ciel, lieu profond où navigue paisiblement une flottille de nuages légers. La journée est magnifique et le monde est beau.

Mais l'Algérie... Mais le Kosovo... Chaque jour des informations nous arrivent, plus terribles les unes que les autres. Chaque témoignage en rajoute sur les précédents. Massacres, famines, choléra, le malheur semble sans fin. À quelques milliers de kilomètres au-delà de cette

mer joyeuse devant moi, l'horreur dépasse les bornes de l'imagination. Des milliers de victimes.

On voudrait ne pas savoir. Ne pas être constamment soumis aux macabres images de cadavres amoncelés, de figures boursouflées d'enfants agonisants. Ne plus y penser : à quoi cela sert-il ? Fixer les yeux sur le bleu de la Méditerranée. Ignorer ce qui se passe au-delà. Mais ces réalités ne se laissent pas oublier aussi facilement. Elles nous envahissent et nous débordent. Comment réagir ?

Plutôt que d'enregistrer passivement ces images, il faut les affronter. Quels messages sont-elles passibles de porter ? Et comment recevoir ces messages ?

D'abord une constatation générale. Au niveau des humains, rien ne va plus dans la « belle histoire » de la croissance de la complexité cosmique. L'émergence du chaos initial par l'intervention des forces de la nature donne une image sympathique de l'histoire de l'univers. Les atomes se forment dans les étoiles et la vie apparaît et se développe sur la Terre. Dans ce contexte, l'incapacité chronique des humains à ne pas sombrer dans la bêtise et l'horreur est une pierre d'achoppement majeure de toute interprétation « optimiste » du sens de la réalité et de l'évolution.

Un second message encore plus difficile à recevoir : l'horreur reviendra sûrement. Si jusqu'ici elle nous a épargnés, c'est que nous avons eu de la chance. Il faut se préparer à l'affronter. Refuser d'y participer même passivement. S'entraîner à dire non. Échapper à la logistique interminable de la vengeance. Les Hutus massacrent les Tutsis parce que les Tutsis ont massacré les Hutus. Les Serbes éliminent les Croates parce que, etc., etc. Il y a toujours une bonne raison et les massacres se poursuivent dans une séquence interminable.

Le refus global de la vengeance est la seule façon possible d'en sortir. Le prix à payer est d'y perdre la vie. Le prix à gagner est de sauver « la » vie.

*

Accent sur l'échange et l'entraide. La nature a déjà engagé le mouvement. À nous de le poursuivre. Gérer sagement notre héritage de stratégies vitales est la seule façon d'assurer à la nature ses chances de continuer à se dépasser elle-même.

*

La nature nous paraît fondamentalement amorale. Le chat joue longtemps avec la souris avant de l'achever. Les Romains allaient au cirque voir les fauves dévorer les hommes. Ce qui est « naturel » n'est pas nécessairement souhaitable. L'être humain se trouve propulsé au poste de « conscience de la nature ». Il lui revient d'établir les normes acceptables de comportement. De remédier aux insuffisances de la nature.

*

Être « du côté de la vie ». La compassion universelle pour tout ce qui vit. Ces choix ne sont pas de l'ordre de la rationalité mais de l'ordre des valeurs. La rationalité se situe en aval. Distinguer le « raisonnable » et le « rationnel ». Le premier inclut l'intuition et l'affectif. Le second n'implique qu'un déroulement correct du processus logique.

*

Dans l'optique darwinienne, l'intelligence est un atout fondamental dans la « lutte pour la vie ». Mais quel rôle joue la conscience dans le cadre de l'évolution biologique ? Est-il nécessaire que l'intelligence s'accompagne de conscience ? Si dans le futur, les ordinateurs devenaient aussi intelligents que les humains, seraient-ils pour autant conscients de leur propre existence et du monde qui les entoure ?

La conscience nous sert entre autres choses à découvrir que nous sommes mortels. Ne vaudrait-il pas mieux ne pas le savoir ? Les animaux, ne sachant pas qu'ils vont mourir – du moins le suppose-t-on – ne subissent pas l'angoisse de la mort. Ne doit-on pas les envier ?

En contrepartie, la conscience permet la rencontre des êtres ; la reconnaissance de l'autre en tant qu'autre. Des ordinateurs couplés pourraient-ils développer des sentiments réciproques ? L'accouplement de deux insectes est infiniment plus pauvre que la rencontre sentimentale entre deux humains.

La compassion naît de la prise de conscience de la souffrance et de l'angoisse des autres. Comme l'affection, elle n'existerait pas sans la conscience. Pas plus d'ailleurs que la relation au monde et à l'univers. Les ordinateurs ne cherchent pas à comprendre le sens de leur existence.

La conscience de la précarité de l'existence ajoute de la valeur au moment présent.

*

Il faudrait laisser à ceux qui restent, à ceux qui viendront après nous, une sorte de testament spirituel. Leur communiquer ce que nous avons cru percevoir et comprendre du sens de cette réalité que nous avons côtoyée quelques années (« Trois petits tours et puis s'en vont »). Leur transmettre nos recettes sur notre façon de gérer cette existence. Ce qu'on peut appeler le métier, ou mieux, l'art de vivre.

J'ai l'intime conviction que la relation aux autres êtres – nos compagnons de voyage – est l'élément à la fois le plus mystérieux et le plus significatif de notre vie personnelle et en définitive de toute l'évolution cosmique.

*

L'important se situerait dans la richesse du contact avec l'univers. À la jonction du monde intérieur et du monde extérieur. Il serait de l'ordre du plaisir et de la contemplation.

*

La musique nous donne accès au cœur du monde. Quand j'écoute Mozart, Schubert ou Wagner, je sens monter en moi un irrésistible sentiment d'exaltation et de reconnaissance pour l'univers qui a engendré la vie et la musique.

L'Objet invisible, 1934 d'Alberto Giacometti
© Adagp, Paris, 1999

Évolution stellaire et Nucléosynthèse
Gordon and Breach/Dunod, 1968

Soleil
(en collaboration avec J. Véry,
E. Dauphin-Lemierre et les enfants d'un CES)
La Noria, 1977
réédition, La Nacelle, 1990

Patience dans l'azur
Seuil, « Science ouverte », 1981
et « Points Sciences », n° S 55

Poussières d'étoiles
Seuil, « Science ouverte », 1984 (album illustré)
et « Points Sciences », n° S 100

L'Heure de s'enivrer
Seuil, « Science ouverte », 1986
et « Points Sciences », n° S 84

Pour comprendre l'univers
(en collaboration avec A. Delsemme et J-C. Pecker)
De Boeck-Wesmael, 1988
Flammarion, « Champs », n°234

Malicorne
Seuil, « Science ouverte », 1990
et « Points », n° P 144

Compagnons de voyage
(en collaboration avec Jelica Obrenovitch)
Seuil, « Science ouverte », 1992
et « Points », n° P 542

Comme un cri du cœur
ouvrage collectif
L'Essentiel, Montréal, 1992

Dernières Nouvelles du cosmos
Seuil, « Science ouverte », 1994
et « Points Sciences », n° S 130

La Première Seconde
Seuil, « Science ouverte », 1995
et « Points Sciences », n° S 135

La Plus Belle Histoire du monde
(en collaboration avec Yves Coppens,
Joël de Rosnay, Dominique Simonnet)
Seuil, 1996
et « Points », n° P 897

Intimes Convictions
Paroles d'Aube, 1997
La Renaissance du livre, 2000

Oiseaux, merveilleux oiseaux
Seuil, « Science ouverte », 1998

Les Artisans du huitième jour
(avec Edmond Blattchen)
Alice, 2000

RÉALISATION : PAO ÉDITIONS DU SEUIL
IMPRESSION : MAME IMPRIMEURS À TOURS
FLASHAGE NUMÉRIQUE CTP (N° 02012070)
DÉPÔT LÉGAL : FÉVRIER 2002. N° 53052

Collection Points